Mappa delle vacanze al mare di Topino

ALICE MELVIN

Il mare di Topino

Una vacanza nella natura

Testo di William Snow

Questo libro è per mio padre, e per il mare, la sabbia
e i cieli di Saltburn, Wardie Bay e Burntisland.
Sono fortunata ad aver vissuto in vostra compagnia. – AM

Degli stessi autori presso L'ippocampo:

Il bosco di Topino
Il fiume di Topino

Titolo originale: *Mouse by the Sea*

Traduzione dall'inglese di Gioacchino Cantalepre
ISBN: 978-88-6722-996-3

Stampato in Cina
www.ippocampoedizioni.it

L'ippocampo

Dopo un lungo camminare
scendo in spiaggia senza fretta.
Brilla al sole il vasto mare,
ho l'estate che m'aspetta!

Al mattino nuoto e gioco,
costruisco un bel castello.

Mentre mangio un bel gelato
vedo un cerchio di bambini.
Lo spettacolo è iniziato,
vanno in scena i burattini!

CONTA STORIE
ZUCCHERO FILATO
PROSSIMO SPETTACOLO ALLE

L'indomani una tempesta
spinge tutti a ripararsi,
ma la pioggia non m'arresta,
guardo il mare scatenarsi!

Poi sereno torna il cielo,
l'aria ha un gusto un po' salino.
Tra le dune stendo il telo
e mi schiaccio un pisolino.

aperto
MOSTRA

Sulla spiaggia meraviglie,
grandi e piccoli tesori.
In quel mare di conchiglie,
scopro mille e più colori.

W
S
N
E
CAPITANERIA
DI PORTO

Il terzo giorno scendo al molo
per pescare a modo mio.
Che viavai nel porticciolo!
S'alza un dolce sciabordio.

Esco in barca in mare aperto
dove sfrecciano le sule.

Coi delfini mi diverto
tra festose capriole.

Il quarto giorno poi m'incanto
a cercare tra le pozze
ghiozzi, ricci, gamberetti,
littorine e nere cozze.

Alla baia delle foche
sosto a fare uno spuntino.

Nella stufa brucia un fuoco,
sbuffa fumo da un camino.

Rosso e bianco il grande faro
svetta a mo' di sentinella.

Il suo raggio forte e chiaro
nella notte fa da stella.

Arrivato il quinto giorno,
lo assaporo fino a sera.
I pulcinella tutt'intorno
fan su e giù dalla scogliera.

Sul sentiero del ritorno
guardo ancora verso il mare.
Alla fine dell'inverno
gli prometto di tornare.

Al mare

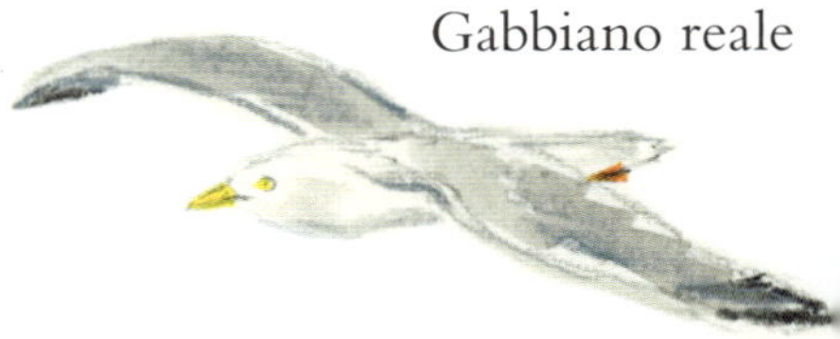

In questo libro seguiamo Topino nelle sue vacanze al mare. Ecco alcune delle cose in cui si è imbattuto durante il suo viaggio e che ritroverai sfogliando le pagine. Potresti vederle anche tu la prossima volta che andrai in spiaggia!

Il mare

Mari e oceani coprono una porzione del nostro pianeta molto più vasta rispetto a quella occupata dalle terre emerse. Due volte al giorno, in maniera più o meno intensa a seconda dei luoghi, il livello dell'acqua sulla spiaggia si alza e si abbassa per via della marea, un fenomeno dovuto all'attrazione gravitazionale esercitata dalla luna sulla massa acquea. Le onde sono invece causate soprattutto dal soffiare del vento. Nel suo continuo movimento, il mare è sempre affascinante, ma può anche essere pericoloso. Rispetta sempre la sua potenza e fai attenzione quando ti ci avvicini.

La costa

È la zona di terra che bordeggia il mare. Può assumere tante forme diverse, come ti accorgerai facendo una bella passeggiata: dalle spiagge di sabbia alle dune erbose, dalle scogliere ai litorali rocciosi. Ciascuno di questi ambienti ospita un tipo diverso di fauna selvatica.

Le dune di sabbia

Sono mobili colline di sabbia formate dal vento lungo il litorale. Le radici dell'ammofila arenaria aiutano a stabilizzare la sabbia, permettendo ad altre piante come il trifoglio, il ginestrino delle spiagge e l'agrifoglio marino di crescere. Le dune possono ospitare molti animali, tra cui tritoni, rospi, lucertole e marassi, oltre a insetti come api e farfalle. Le pispole e le allodole costruiscono i loro nidi tra le erbe, mentre i gheppi planano in alto alla ricerca di cibo.

La linea di battigia

Quando la marea si ritira, si lascia dietro una striscia di alghe e altri detriti lungo la riva: è la cosiddetta "linea di battigia". Il momento migliore per esplorarla è dopo un fortunale, poiché il mare mosso porta a galla molti oggetti interessanti: alghe, conchiglie e pezzi di legno levigato. Non mancherà qualche rifiuto umano. Funi e oggetti di plastica sono dannosi per la fauna selvatica, e toglierli dalla spiaggia è un ottimo modo per aiutare le creature marine.

Uccelli

Fra i suoni del mare, non manca mai lo squillante richiamo del gabbiano reale. Ma ci sono anche quelli del gabbiano comune e del mugnaiaccio. Sulla riva potresti vedere il corriere grosso alla ricerca di cibo. La beccaccia di mare è facilmente riconoscibile dal lungo becco arancione e dalle zampe rosa. Al largo, nei mari del Nord, potresti avere la fortuna di vedere una sula tuffarsi per pescare a più di 100 km/h!

Scogliere

La vista delle scogliere è sempre molto impressionante. I loro versanti ripidi e aspri offrono rifugio agli uccelli, che vi nidificano al riparo dai predatori. Sule, urie e gazze marine nidificano in chiassosi ammassi sulle sporgenze rocciose. Sui pendii erbosi sovrastanti, i pulcinella di mare scavano confortevoli tane dove allevare i piccoli. In estate, i fiori di armeria, silene, carota marina e soldanella colorano le sommità.

Pozze di marea

Quando la marea si ritira su una costa rocciosa, un po' d'acqua resta intrappolata nelle cavità e nelle fessure tra le rocce, formando delle pozzanghere salate chiamate "pozze di marea". Al loro interno potresti trovare piccoli gamberetti o pesciolini come il ghiozzo. Sul fondo si nascondono i granchietti, mentre colorate anemoni di mare si attaccano alla roccia. Abbi cura di tutte queste piccole creature e non portarle via dalla loro pozza.

Mammiferi

Lungo la costa, potresti avvistare lontre e conigli che si sono stabiliti nei pressi della spiaggia, ma esistono mammiferi che dipendono strettamente dal mare. Le foche si trascinano a riva per riposare e per partorire. Sulla terraferma appaiono lente e goffe, ma in acqua guizzano come nuotatrici provette. I delfini sono un'altra presenza festosa: è una gioia vederli saltare fuori dall'acqua e nuotare giocosi accanto alle barche.

Molluschi

I molluschi sono creature invertebrate dal corpo molle, solitamente congiunte a una conchiglia. Ogni conchiglia vuota che trovi sulla spiaggia ha ospitato, un tempo, uno di loro. Fra i molluschi più diffusi ci sono le cozze, le vongole, i murici e le lumache di mare. Le patelle si aggrappano saldamente alle rocce come esperti alpinisti, spostandosi durante l'alta marea per nutrirsi di alghe e tornando esattamente nello stesso punto una volta sazie.

Fauna marina

Nelle profondità del mare pullula una miriade di creature meravigliose. Le meduse, ad esempio, si lasciano trasportare dalla marea e talvolta finiscono arenate sulla spiaggia: fai attenzione a non toccarle! Granchi e stelle marine vivono sul fondale sabbioso e nelle pozze fra le rocce. I pesci possono essere difficili da individuare dalla terraferma. Molto più facile osservare gli uccelli che si tuffano in acqua per catturarli!

I tesori della spiaggia

Le spiagge nascondono infiniti tesori.
Ecco alcuni di quelli raccolti da Topino.
Quali scoprirai tu la prossima volta che andrai al mare?

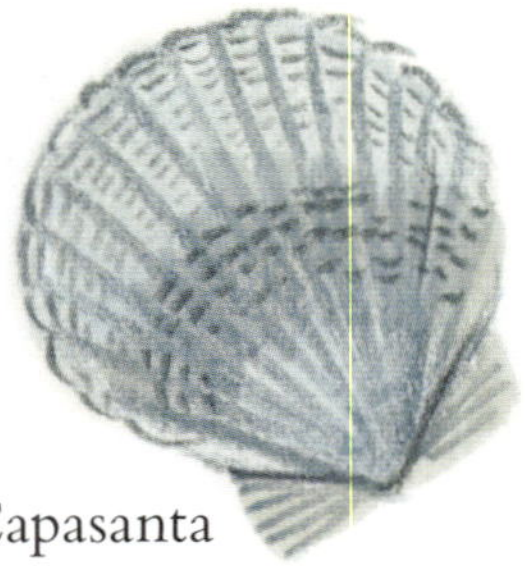

Capasanta

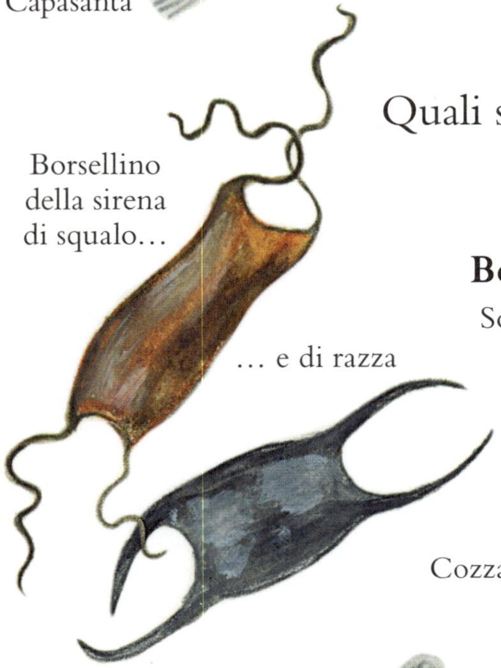

Borsellino della sirena di squalo…

… e di razza

Borsellini della sirena

Sono le sacche vuote, arenate sulla battigia, delle uova di alcune specie di squali e razze.

Vetri e ceramiche di mare

Questi pezzetti di vetro e ceramica smussati dal moto delle onde sono autentici tesori. Di quanti colori ne troverai?

Cozza blu

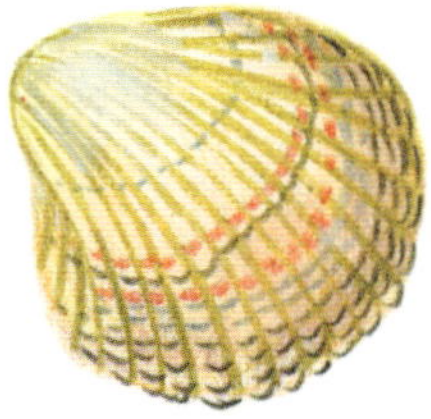

Cardio

Patella

Riccio di mare

Non è facile trovare un guscio di riccio di mare integro, ma potresti avvistarne dei frammenti.

Conchiglie

Le conchiglie hanno mille forme e colori. Usale per comporre un quadro sulla sabbia o per decorare il tuo castello. Riuscirai a trovarne di tutti i colori dell'arcobaleno?

Littorina comune

Littorina obtusata

Penne

Le penne degli uccelli marini possono fare da bandiere sui castelli di sabbia.

Penna di beccaccia di mare

Penna di chiurlo

Alghe

Esistono molti tipi di alghe. La quercia marina galleggia in acqua grazie a piccole sacche d'aria, mentre la resistente alga kelp si ancora con forza al fondale marino.

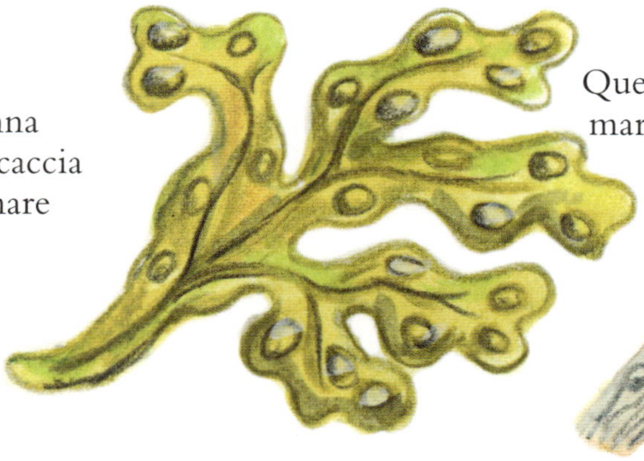

Quercia marina

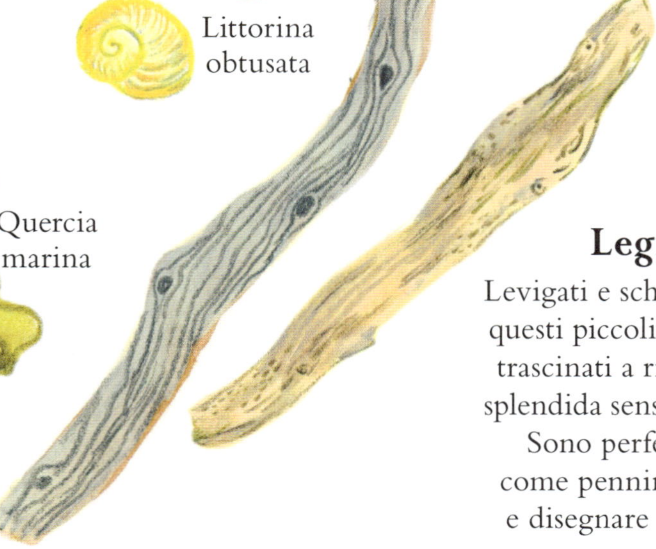

Legnetti

Levigati e schiariti dal mare, questi piccoli pezzi di legno trascinati a riva danno una splendida sensazione al tatto. Sono perfetti da usare come pennini per scrivere e disegnare sulla battigia.

Prima d'andar via, ricorda di restituire il tuo bottino al mare!